Este libro pertenece a:

_____

_____

_____

Para Aidan y Fay, ~ L. J.
Para Roo; y no me olvido de Murphy, ~ A. E.

Dirección editorial: Natalia Hernández
Traducción y adaptación: María Forero
Texto © Linda Jennings
Ilustraciones © Alison Edgson
© Little Tiger Press
© SUSAETA EDICIONES, S.A.
C/ Campezo, 13, 28023 - MADRID
Tel.: 91 3009100 - Fax: 91 3009118

Un Perrito perdido

susaeta

Oli era un hermoso cachorro de color canela. Sus hermanos y él habían nacido en primavera, así que aquél era su primer invierno.

Asomados a la puerta del cobertizo, observaban un espectáculo hasta entonces desconocido para ellos.

–¿Qué es esto que cae del cielo, mamá?

–Es nieve.

–¿Se puede comer? –preguntó Pío, el comilón de la familia.

–Me temo que no –contestó riéndose la madre–. Pero, si queréis, podéis ir a jugar.

Los tres hermanos salieron a
la carrera.

–Está fría –comentó Teba–.
–Helada.
–Y es blandita; se me hunden
las pezuñas.

Los cachorritos no se cansaban
de juguetear en la nieve...
¡era muy divertido!

Pero, entonces, algo les asustó. Era una enorme cara
con ojos centelleantes e inmensa boca con grandes
y afilados dientes.

Los perritos, que aún eran muy asustadizos,
gritaron a la vez aterrorizados:
–¡CORRED. PONEOS A SALVO!

Oli, sin pensarlo dos veces, corrió en dirección contraria a su confortable y seguro hogar. De pronto, resbaló y se deslizó unos metros cuesta abajo. Cuando logró incorporarse, miró a su alrededor...

«Oh, no, me he perdido», sollozó.

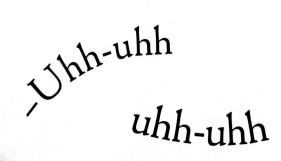

—Uhh-uhh uhh-uhh ¿quién eres tú?

El cachorrito alzó la mirada y vio
a un búho en la rama de un árbol.

–Soy Oli y me he perdido. ¿Me
podría ayudar?

–Quizá si, quizá no. Tal vez, si sigues
tus huellas, hallarás el camino de
vuelta a casa; pero, por otro lado, a lo
mejor la nieve las ha cubierto por
completo. ¡Es una incógnita, pequeño!

Oli decidió hacer lo que le había propuesto el búho, pero se dio cuenta de que, tal y como éste temía, la nieve había borrado buena parte de las huellas.

Siguiendo el rastro como pudo, llegó
hasta un espeso bosque.
«Éste debe de ser el bosque que hay
cerca de casa», se dijo aliviado Oli.

Aquello era un consuelo; sin embargo,
había que atravesar el bosque...
¡y era un lugar oscuro y tenebroso!

¡Socorro!

El cachorrito se adentró entre los árboles. Caminaba despacio, con las orejas erguidas, atento a cualquier ruido extraño. Pero, pese a sus precauciones, no vio un gran desnivel que la nieve había cubierto y, sin poder remediarlo, cayó dando grandes alaridos...

¡Ayuda, me caigo!

El pobre Oli fue a aterrizar
junto a la madriguera de una
familia de zorros, que, observándole con
curiosidad, comentó:
–¿Qué ha sido ese ruido?
–Parece un cachorro de perro.
–¿Y qué hace un cachorro de perro en lo más
profundo del bosque?
–Me llamo Oli y me he perdido, ¿podéis ayudarme?

Los zorros nunca habían oído hablar de la granja
en la que vivía el cachorrito, pero sí supieron
indicarle la salida del bosque.

Oli emprendió de nuevo la marcha; había
comenzado a nevar otra vez y el cachorrito se
sentía débil y hambriento. Sus fuerzas comenzaban
a flaquear.

La tormenta se hizo tan intensa que Oli decidió refugiarse bajo un abeto. Por primera vez desde que se había perdido, pensó que quizá nunca encontrara su casa ni volviera a ver a su familia. Pero, entonces, oyó un ruido a lo lejos...

Oli levantó una oreja para oír con más claridad. Ya no tenía dudas: eran ladridos lo que le llegaba desde la lejanía.

–Estoy aquí, junto al abeto, mamá, Pío, Teba, ¿dónde estáis?

Al fin, Oli pudo distinguir entre la espesa cortina de nieve la querida cara de su madre y sus hermanos.

–¡Hijo, por fin te encuentro! ¿Estás bien?

–Ahora sí, pero he pasado mucho miedo y tengo hambre y frío.

Aquella noche, Oli disfrutó como nunca antes lo había hecho de estar en su hogar, junto a su familia, acurrucado contra la tibia piel de su madre y al amparo de la intensa tormenta de nieve. Buenas noches, cachorrito, descansa tranquilo. Ya estás a salvo y en compañía de los que más te quieren.